Le trésor d'Archibald

Le trésor d'Archibald

un roman écrit par Carmen Marois
illustré par Anne Villeneuve

SOULIÈRES ÉDITEUR

case postale 36563 — 598, rue Victoria,
Saint-Lambert, Québec J4P 3S8

Soulières éditeur remercie le Conseil des Arts du Canada et la SODEC de l'aide accordée à son programme de publication et reconnaît l'aide financière du gouvernement du Canada par l'entremise du Programme d'Aide au Développement de l'Industrie de l'Édition (PADIÉ) pour ses activités d'édition. Soulières éditeur bénéficie également du Programme de crédit d'impôt pour l'édition de livres – Gestion Sodec – du gouvernement du Québec.

Dépôt légal: 2002
Bibliothèque nationale du Canada
Bibliothèque nationale du Québec

Données de catalogage avant publication (Canada)

Marois, Carmen

    Le trésor d'Archibald
    (Collection Ma petite vache a mal aux pattes ; 40)

    Pour les jeunes de 6 à 9 ans.

    ISBN 2-922225-71-2

    I. Villeneuve, Anne. II. Titre. III. Collection.

PS8576.A 743T73 2002   jC843' .54 C2002-940855-5
PS9576.A743T73 2002
PZ23.M37Tr 2002

Conception graphique de la couverture:
Annie Pencrec'h

Logo de la collection:
Caroline Merola

Chapitre 1

Trou... vaille !

Archibald est un petit cochon tranquille et casanier. Il sort rarement de chez lui et déteste les aventures. Toutes les aventures. Par contre, il aime manger. Et aussi lire, jardiner et paresser. Il passe de longues heures allongé sur sa pelouse fleurie de pissenlits. Les yeux rivés au ciel, il regarde les nuages qui défilent.

—Ils ont l'air pressés, se dit souvent Archibald. Où vont-ils donc ainsi ?

Pour Archibald, « aller quelque part » n'a aucun sens. Il hait les voyages. Il n'est jamais sorti de sa ville. Il ne quitte sa maison que pour aller chez le boulanger et l'épicier. Ou encore pour se rendre chez le marchand de vin ou la vendeuse de journaux.

Ses courses faites, il retourne aussitôt chez lui. Il retrouve alors son foyer et sa vie pot-au-feu.

Mais aujourd'hui le petit cochon est dans tous ses états. Il se promène de long en large dans son jardin, entre deux rangs de cornichons nains. De temps à autre, il jette un coup d'oeil au trou béant. La sueur perle sur son front rose et dégarni. En creusant un deuxième puits, il a découvert un coffre dans la terre. Un gros coffre de pirate en bois brun, garni de fer sur les côtés. Il est très, très lourd. Impossible de le soulever tout seul. Encore moins de le sortir du trou.

Au comble de l'agitation, Archibald empoigne l'échelle et redescend dans la terre. Ne sachant que faire, il s'assoit sur son trésor. Il s'est tellement énervé qu'il est en nage. À midi, le soleil tape fort entre les rangs de cornichons. Le petit cochon sort un grand mouchoir jaune de la poche de sa salopette et s'éponge le front avec application.

—Quelle aventure, quelle aventure, couine-t-il.

Il n'en revient pas. Jamais, jamais il ne lui est arrivé quelque chose d'aussi extraordinaire. Durant un court instant, il songe à remonter et à vite reboucher le trou. Il pourrait ainsi oublier le coffre pour toujours. Sa vie reprendrait alors son cours normal, tranquille et sans surprise.

Archibald est tourmenté. Il saute en bas du coffre et observe un moment la grosse serrure. La clé est dedans. Il n'a qu'à la tourner pour ouvrir le coffre. Le petit cochon avance la main et tripote la clé ouvragée. Il hésite. Enfin, il se décide : il donne un tour de clé et soulève lentement le couvercle…

Chapitre 2

Par les moustaches de ma grand-mère!

Archibald repousse le lourd couvercle du coffre mystérieux. Il se dresse ensuite sur la pointe des pieds et regarde à l'intérieur. Un cri de surprise lui échappe alors:

— Par les bretelles de mon grand-père!

En ouvrant le coffre, il s'attendait à tout. À trouver de grosses pièces d'or, des perles géantes ou des bijoux sans prix. Mais pas un escalier!

15

En colimaçon, celui-ci s'enfonce profondément dans la terre. On dirait l'escalier d'une tour. Ou encore celui d'un donjon. Il est éclairé par des torches accrochées aux murs. Une forte odeur de fumée frappe les narines du petit cochon.

—Ça alors ! s'exclame-t-il.

Sa curiosité est piquée au vif. Il s'accroche au rebord du coffre et se penche pour mieux voir. Ses pieds battent maintenant dans le vide. Il voudrait bien savoir où mène cet étrange escalier, mais il a peur de descendre. Les marches en pierres grises sont usées et couvertes de mousse verte. Comme si elles avaient des siècles ou encore des milliers d'années.

Archibald est profondément remué par sa découverte. Installé en équilibre instable sur le rebord du trou, il tend ses deux oreilles pointues. Il lui semble entendre du bruit, là-bas, tout au fond.

—Par les moustaches de ma grand-mère ! s'écrie le petit cochon. On dirait le clapotis des vagues !

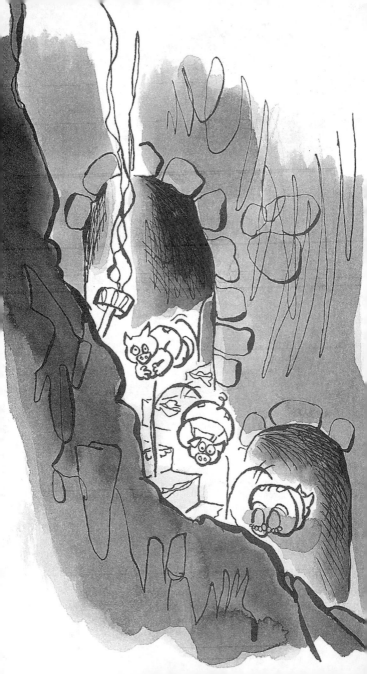

À Céline

Archibald savait qu'il trouverait de l'eau à cet endroit. Mais pas de cette façon anormale. Il ne tient plus en place. Il doit aller voir et découvrir ce qui se cache au pied de cet escalier mystérieux. Il n'ose pas y aller tout seul, car il a trop peur. Il décide donc de remonter dans le jardin et d'aller chercher son voisin, maître Tarascon.

Mais, tournebroche-de-tournebroche, il ne peut plus reculer! Il s'est trop penché et son corps menace de basculer. Archibald agite frénétiquement les pattes arrière, tente de reprendre son équilibre. Il s'agrippe au couvercle qui s'abat sur lui. Le malheureux cochon est précipité dans le vide. Il roule, roule, roule. Telle une balle, il rebondit à chaque marche. Il y en a au moins cent deux. Heureusement, la mousse des marches est épaisse et amortit la chute. Archibald finit par atterrir sain et sauf au pied de l'escalier.

Chapitre 3

L'amère à boire...

Assis sur son derrière, Archibald reprend lentement ses esprits. Il se sent encore étourdi par sa longue chute dans l'escalier de pierre. Il regarde autour de lui et s'étonne:

—Par les bretelles de mon grand-père! On dirait une caverne. C'est tout humide.

La lumière du jour filtre à travers une espèce de porte légèrement entrouverte. Dehors, on entend le bruit des vagues. Archibald s'avance à qua-

tre pattes vers l'ouverture et renifle. Ça sent très fort la mer. Intrigué, le petit cochon soulève doucement le battant supérieur de la drôle de porte. Elle s'ouvre facilement. Il se faufile à travers l'ouverture et se retrouve sur une plage. En s'éloignant un peu, il se rend compte qu'il est sorti d'une coquille d'huître géante. Devant lui, à une dizaine de mètres, une grande tour noire et carrée se découpe sur un ciel vide, sans nuage.

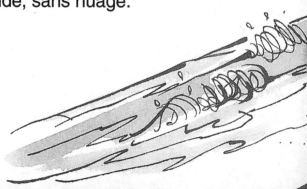

—Par les moustaches de ma grand-mère! s'exclame Archibald. Je me demande comment une si grande tour peut tenir dans un coffre.

C'est étrange, en effet. La mer, toute proche, est d'un bleu profond. Des vagues aux crêtes mousseuses viennent mourir aux pieds du petit cochon ahuri.

—Ça chatouille! Ça chatouille! s'étonne-t-il.

La mer s'étend à perte de vue. Au loin, elle se marie avec le ciel.

—Comme c'est beau! s'exclame Archibald.

C'est la première fois qu'il voit la mer. À une vingtaine de mètres de la rive, un radeau est amarré à une bouée rouge vif. Muni d'une voile, il se balance doucement au gré des vagues. Intrigué, Archibald s'avance. Ses pieds s'enfoncent dans le sable chaud.

— Tournebroche-de-tourne-broche ! Comme c'est agréable ! dit-il.

À son insu cependant, la coquille d'huître géante se referme doucement.

Un cri perçant déchire alors le silence :

— Un touriste ! Enfin !

Archibald sursaute. La voix nasillarde, un peu grinçante, provient du sommet de la tour. Le petit cochon lève les yeux, mais il ne voit personne. Son coeur bat maintenant à tout rompre.

— Par les moustaches de grand-maman ! Par les moustaches de

grand-maman! répète Archibald. Qui cela peut-il bien être? Je me croyais tout seul ici.

—Ne bougez pas, touriste! ordonne la voix. Je descends. Je suis à vous dans un instant!

Archibald garde les yeux rivés sur la grande porte ronde qui se découpe sur un des côtés de la tour.

—Ne partez pas surtout, cher touriste. J'arrive! J'arrive!

En effet, la voix semble se rapprocher.

Bientôt, la porte peinte en rouge clair s'ouvre à la volée. Apparaît alors le plus curieux des oiseaux...

Chapitre 4

Le Grand
Quabouki

— **M**e voici, touriste ! Me voici !
hurle l'étrange oiseau en se précipi-
tant sur Archibald.

Ses pattes sont longues et fines,
comme des échasses. Son corps, tout
rond, est recouvert de plumes flam-
boyantes. Rouges, jaunes, vertes et
bleues, elles forment des motifs
ahurissants. Un peu comme s'il por-
tait une veste à pois sur une chemise
à carreaux ! L'effet est tout simplement

saisissant. Pour ajouter encore à son allure étrange, il a de grandes ailes rayées et une tête énorme. Celle-ci se balance au bout d'un grand cou déplumé, aussi long qu'une année d'école. Ce n'est pas tout : il a aussi de grands yeux ronds, très mobiles, protégés par des cils immenses et frisés.

28

—En fait, songe Archibald, il ressemble un peu à une autruche. Juste un peu…

Le petit cochon n'a jamais rien vu d'aussi extraordinaire que ce curieux oiseau. Même dans les grands livres savants qu'il consulte tous les soirs dans la bibliothèque de son voisin, maître Tarascon.

La bouche légèrement entrouverte, Archibald fixe l'impossible volatile.

—Cher, très cher touriste et futur client, dit l'oiseau en serrant la petite main d'Archibald entre ses deux ailes rayées bleu et vert.

—Euh!… bredouille le petit cochon.

—Je suis le passeur, explique l'oiseau. Vous venez pour passer?

—Euh!… non, répond Archibald. Je ne fais que passer. En fait, je n'aurais jamais dû venir ici. Je dois retourner chez moi.

—Mais pas du tout! rétorque l'oiseau qui se fait insistant.

Il retient le petit cochon par l'épaule, le serre contre lui et ajoute:

—Je vous attends depuis si long-temps.

Archibald est très étonné. Il ne savait pas qu'un oiseau aussi étrange pouvait l'attendre, et depuis longtemps encore !

Comme s'il lisait dans ses pensées, l'oiseau s'explique :

—Voyez-vous, je suis le passeur. Ce radeau m'appartient. J'attends les touristes qui viennent pour traverser la mer et passer de l'autre côté. Vous êtes un touriste, non ?

—Euh !...

—Mais si, mais si. J'attends le touriste, vous êtes un touriste, donc je vous attendais. Logique, non ?

Sans laisser à Archibald le temps de répondre, l'oiseau demande aussi-tôt :

—Quel est votre nom, touriste ?

—Archibald, répond Archibald.

—Archibald. Hum ! enchanté, touriste. Vraiment, je suis en-chan-té. Moi, je suis le Grand Quabouki. Le seul, l'unique, MOI ! Venez, je vous emmène.

—Non, merci, réplique Archibald qui s'efforce de rester poli. Je dois maintenant retourner chez moi.

—Pas question, rétorque l'oiseau.

Le Grand Quabouki referme ses grandes ailes autour des épaules d'Archibald. Il l'entraîne ensuite gentiment, mais fermement, vers le

radeau qui se balance au gré des vagues. Le pauvre cochon tente de résister. Il plante ses talons dans le sable, freine autant qu'il le peut.

—Vous allez passer, insiste l'oiseau. Je vous le dis, vous allez passer.

—Mais je ne veux pas! hurle Archibald.

—Tut! Tut! Tut! fait le Grand Quabouki.

Il soulève alors Archibald comme une plume et l'emporte au-dessus des vagues. C'est ainsi que, malgré lui, le malheureux cochon se trouve installé sur le radeau, ballotté au milieu des flots.

Chapitre 5

Capitaine au long cou...

L'oiseau au long cou s'affaire autour du radeau. Il vérifie l'état de la grande voile carrée et des rames, met un peu d'ordre dans les cordages.

—Il y a au moins cent ans que personne n'est venu ici, explique-t-il. Je commençais sérieusement à m'ennuyer.

« C'est vrai qu'il semble heureux de me voir », songe Archibald en arpentant le pont.

Il finit par s'asseoir sur un petit tonneau oublié près du mât.

—Voilà! annonce enfin l'oiseau d'une voix triomphante. Nous sommes prêts à partir. Tout le monde sur le *thon*!

Il détache la corde tressée qui retenait le radeau amarré à la bouée.

Il prend ensuite une longue rame et pousse l'embarcation vers le large. Inquiet, Archibald voit la rive s'éloigner à toute allure.

—*Fardez les cafards! Narguez l'étoile!* hurle encore le capitaine au long cou.

Il crie si fort que le pauvre cochon doit se boucher les oreilles. Assis sur son tonneau, il réfléchit. Il ne voudrait surtout pas contrarier son compagnon. Il lui semble pourtant qu'on dit plutôt: «Tout le monde sur le pont! Larguez les amarres! Carguez les voiles!»

Mais il se trouve ici dans un pays étranger. Ailleurs, les mots ont souvent un tout autre sens. C'est ce que lui ont appris ses lectures dans les grands livres de maître Tarascon. Alors, le petit cochon se tait. Il n'a encore jamais voyagé. Il lui semble cependant qu'observer et écouter, sans juger, soit la bonne attitude à adopter.

— Tournebroche-de-tourne-
broche ! se lamente-t-il. Dans quelle
aventure me suis-je embarqué ?

Une fois au large, le Grand Quabouki détache la voile. Elle se gonfle
aussitôt et le radeau prend de la
vitesse. Le vent siffle fort à présent.
Les vagues deviennent plus grosses.
Elles se fracassent sur le pont et

éclaboussent les passagers. Archibald déteste être mouillé. Ça le rend grognon.

—Où allons-nous ainsi? demande-t-il.

—De l'autre côté de la mer, je suppose, répond le Grand Quabouki.

—Tu supposes! s'écrie Archibald incrédule. Tu sup-po-ses!?

Il n'en revient tout simplement pas. Pour lui, un capitaine au long cours digne de ce nom connaît toujours sa destination.

—Je n'ai jamais traversé de l'autre côté, avoue l'oiseau.

Le capitaine n'ose pas regarder son passager dans les yeux. Il fixe donc un

point imaginaire, très loin au-dessus de la tête d'Archibald. Affolé, celui-ci a quitté son tonneau et fait les cent pas sur le pont en murmurant:

—Par les moustaches de grand-maman! Par les moustaches de grand-maman!

—Arrête, supplie l'oiseau. Tu me donnes le tournis.

Mais Archibald est trop boule-versé. Il ne peut pas s'arrêter de tourner autour du mât.

—Et en plus, ajoute l'oiseau, tu vas nous faire chavirer!

À ces mots, Archibald s'arrête pile. La voix tremblante, il demande à son compagnon:

—Pourquoi n'es-tu jamais allé de l'autre côté de la mer?

Gêné, le Grand Quabouki se racle la gorge.

—À... À cause des pirates, finit-il par avouer.

Chapitre 6

Le pire, les pirates

— **À** cause des PIRATES! hurle Archibald.

Il se tient la tête à deux mains. Affolé, découragé, terrifié, il se remet à tourner autour du mât. Une fois, deux fois, dix fois. Il répète inlassablement:

— Tournebroche-de-tournebroche! Des pirates! Tournebroche-de-tourne-broche! Des pirates! Des pirates! Des pirates!

Le Grand Quabouki essaie de calmer son compagnon de voyage:

—Peut-être que cette fois-ci ils ne nous arrêteront pas…

Loin de se calmer, Archibald s'énerve encore plus. Si c'est possible. Il voudrait fuir, retrouver la coquille d'huître géante par laquelle il est arrivé. Il remonterait quatre à quatre l'escalier couvert de mousse, sortirait du maudit coffre. Il en refermerait le couvercle et poserait une grosse pierre dessus. Ensuite, il reboucherait à jamais le trou creusé dans son jardin. Tant pis pour le deuxième puits !

Mais il est impossible de fuir. Le pauvre cochon s'arrête de tourner autour du mât et regarde l'océan. Partout, à perte de vue, il n'y a que la mer. Une eau bleue et profonde. Archibald ne sait pas nager. Il pousse un gros soupir avant de se laisser choir au milieu des cordages. Il fouille les poches de sa salopette jaune et en sort un gros biscuit.

Le Grand Quabouki s'approche de lui, se penche, et fait:

—Hum… Hum…

—Archibald ne l'entend pas. Il est trop bouleversé. Assis à l'avant du radeau, il fixe la mer infinie. Les yeux humides, il grignote son biscuit.

—Hum… Hum… répète le capitaine au long cou.

Cette fois, il a haussé le thon… Pardon. Il a haussé le ton. Il veut à tout prix attirer l'attention de son passager. Il lui tapote l'épaule du bout de l'aile et lui souffle à l'oreille:

—Ils sont là…

Archibald sort de sa rêverie:

—Hein? Quoi?

Il n'a pas compris ce que lui a dit le Grand Quabouki. Il a seulement senti des plumes soyeuses lui effleurer l'épaule et la joue.

—Ils sont là, répète l'oiseau. Juste derrière nous…

—Qui… Qui est derrière nous? demande Archibald.

Il a l'impression qu'on le tire d'un mauvais rêve. Comme lorsqu'il était bébé et que sa mère venait le réveiller, la nuit, au milieu d'un cauchemar. Il regarde le Quabouki et se retourne dans la direction que lui indique l'oiseau. Il pousse alors un hurlement strident:

— Aaahh !

Il se dresse aussitôt sur ses pattes en laissant tomber ce qui lui reste de biscuit. Horrifié, il voit qu'un bateau pirate a accosté le radeau. Un navire tout noir, effrayant. Un deux-mâts. Même les voiles sont noires avec, dessus, peintes en blanc, des têtes de morts.

Terrifié, Archibald sent tous les poils de son corps se hérisser.

Le navire est immense. Il domine le radeau de toute sa hauteur. On dirait un vaisseau fantôme, surgi de nulle part.

« Peut-être qu'il n'y a personne à bord » songe Archibald qui tente ainsi de se rassurer.

C'est alors qu'une voix tonitruante hurle :

—**À L'ABORDAGE !**

Chapitre 7

Pirate à ras-bord!

— **C**o... Co... Comment ça, à l'abordage! s'énerve Archibald.

—C'est comme ça, explique calmement le Quabouki. Ils vont maintenant sauter sur le radeau et nous enlever.

L'oiseau ne semble ni surpris ni inquiet de leur sort.

—Nous enlever! s'exclame Archibald. Tournebroche-de-tournebroche, mais c'est horrible! Ils vont nous faire rôtir!

Les pirates, c'est bien connu, font rôtir les petits cochons.

—Toi, peut-être, admet le capitaine au long cou. Mais pas moi.

Archibald le regarde, incrédule. Patient, le Grand Quabouki lui donne l'explication suivante :

—Les pirates, vois-tu, ne mangent pas les quaboukis. Ils trouvent que nous avons mauvais goût.

Archibald observe l'oiseau avec plus d'attention encore.

« C'est vrai que les quaboukis ont mauvais goût, songe-t-il. Ces plumes trop voyantes, ce mélange incroyable de rayures, de pois et de carreaux… Tout ceci n'est pas très joli à voir… »

—Mais rassure-toi, ajoute l'oiseau. Ils ADORENT les petits cochons !

—Tournebroche-de-tournebroche ! Je ne vois pas ce qu'il y a de rassurant là-dedans, réplique Archibald, un peu sèchement.

Il est encore moins rassuré lorsqu'il voit apparaître dix pirates au bastingage. Des hommes effrayants ! Leurs

visages terribles grimacent et leurs yeux de fauve lancent des éclairs. Ils balancent des cordes par-dessus bord et s'élancent à l'abordage. De longs couteaux entre les dents, ils se laissent glisser jusqu'au radeau.

—Pirates à *ras-bord*! hurle le Grand Quabouki.

Archibald voudrait lui faire remarquer que, sur un bateau, on parle de babord et de tribord, pas de ras-bord. Mais il n'en a pas le loisir.

53

Tenant maintenant leurs longs couteaux à la main, les affreux pirates se jettent aussitôt à bras raccourcis sur les passagers sans défense. Ceux-ci sont ficelés illico, comme de vulgaires saucissons. Un grand pirate bourru enferme ensuite Archibald dans un sac malodorant et le jette sur son épaule. Ses comparses s'emparent du Grand Quabouki et le hissent ensuite péniblement à bord de leur effroyable navire.

Chapitre 8

Bouilli ou rôti ?

Les pirates attachent Archibald au pied du grand mât de leur navire. Ils suspendent son compagnon à la grande vergue, juste au-dessus de lui. Attaché par les pattes, le Grand Quabouki se balance, tête en bas. L'oiseau est si long que son bec arrive à la hauteur des yeux d'Archibald.

—Ne t'en fais pas, lui souffle le Quabouki. Je vais nous tirer de là.

Archibald est au bord du désespoir.

—Nous tirer de là ! Tournebroche-de-tournebroche, peste-t-il. Mais comment ?

—Les marins sont des gens superstitieux, lui explique le Quabouki. On peut leur faire croire n'importe quoi.

Il n'a pas le temps de poursuivre ses explications, car le capitaine s'approche d'eux.

—Qu'on amène la marmite d'eau bouillante ! ordonne-t-il à ses hommes.

Le capitaine est un être effroyable. Son torse nu, un peu velu, est couvert

de cicatrices et de tatouages hideux. Un seul dessin ne fait pas frémir. Il s'agit d'un petit coeur tatoué sur l'épaule gauche dans lequel est écrit un seul mot : maman. Il n'a qu'un oeil valide, noir comme une nuit sans lune. Une immense hache à double tranchant est suspendue à sa large ceinture de cuir.

« Par les bretelles de mon grand-père ! songe Archibald. Comme il a l'air méchant ! »

Le petit cochon n'a encore jamais rencontré quelqu'un d'aussi terrible.

Suspendu au-dessus de lui, le Grand Quabouki ne semble pas du tout impressionné. Sa position, plutôt inconfortable, ne paraît pas non plus le gêner. Il s'adresse au chef des pirates :

— Vous devriez plutôt le faire rôtir. C'est meilleur.

Le sang du petit cochon ne fait qu'un tour.

— Tais-toi, imbécile ! crie-t-il au Quabouki.

— Tut ! Tut ! Tut ! fait ce dernier. Laisse-moi mener cette affaire.

— Oiseau de malheur ! murmure Archibald entre ses dents.

Horrifié, il observe le grand pirate qui se frotte le menton. Celui-ci n'a pas vu un rasoir depuis des lustres. L'homme réfléchit et c'est ce qui inquiète le plus Archibald. Son oeil unique lance maintenant des éclairs en direction des prisonniers.

— C'est vrai, dit le pirate, que le cochon c'est meilleur rôti que bouilli…

—Bien meilleur rôti que bouilli, je vous le dis! insiste le Quabouki.

—Mouais… marmonne l'affreux sans quitter Archibald de l'oeil. Il y a un problème…

—Un problème ? répète l'oiseau. Pas de problème.

— Tournebroche-de-tourne-broche ! peste Archibald. Vas-tu te taire à la fin ?

—On ne peut pas faire de méchoui sur le pont, dit le pirate.

—Là, vous marquez un point, concède l'oiseau. Ça serait trop dangereux d'allumer un feu sur le pont en bois du bateau.

De grosses gouttes de sueur perlent au front du petit cochon qui ne cesse de marmotter :

— Tournebroche-de-tourne-broche !

En fait, Archibald déteste la tournure que prend cette conversation entre le chef des pirates et son compagnon de voyage.

Chapitre 9

La révolte gronde

Les pirates forment un cercle autour de leur capitaine et de ses prisonniers. Ils écoutent, attentifs. Le cuisinier surgit de la cale, traînant avec lui une immense marmite remplie d'eau bouillante.

En voyant apparaître le cuistot du bord, Archibald se sent de plus en plus mal à l'aise. La vapeur qui s'échappe de la grosse marmite de fer lui donne envie de vomir. Il a maintenant du mal à avaler sa salive. Sa nervosité est à

son comble. Il voudrait bouger : se gratter le derrière des oreilles, se nettoyer le nez et, surtout, aller faire pipi. C'est impossible. Il est ficelé beaucoup trop solidement. Les cordes qui le retiennent prisonnier lui meurtrissent la peau.

« Je vais être effroyable à manger, songe-t-il. Tant pis. »

Son coeur s'arrête tout net de battre quand il entend avec horreur le Grand Quabouki suggérer aux pirates:

—Pour préparer le méchoui, il faudrait pouvoir accoster sur une île.

Un murmure sinistre parcourt l'assemblée des pirates.

—Ça fait longtemps qu'on n'a pas mis pied à terre, grognent les hommes à la mine sombre.

La colère gronde.

—C'est vrai, ça, dit un pirate à qui il manque une jambe. Ça fait trop longtemps qu'on n'est pas descendus sur la terre ferme.

La mauvaise humeur des marins est palpable à présent.

—D'accord, d'accord, concède le capitaine.

Il veut calmer au plus vite les esprits rebelles qui s'échauffent vite.

—Mais, avant de descendre à terre, ajoute-t-il, il faudrait d'abord savoir si la chance est avec nous.

Le Grand Quabouki se montre ravi :

—Ça, déclare-t-il, je puis vous le dire. Les Quaboukis, vous le savez tous, ont le pouvoir de deviner l'avenir.

—Je sais, dit le capitaine de sa grosse voix bourrue. Je sais.

Il caresse un long moment les poils hirsutes de son menton. Il prend tout son temps pour réfléchir. Aussi immobiles et silencieux que des statues de plâtre, ses hommes l'observent.

—Bon, dit enfin le pirate borgne au Grand Quabouki. Prédis-nous l'avenir. Et tâche d'être un oiseau de bon augure !

L'oiseau se balance toujours au bout de sa corde, suspendu par les pattes. Aussi réplique-t-il :

—Je veux bien vous prédire l'avenir, mais pour cela vous devez me détacher. Je dois interroger la marmite…

Chapitre 10

La marmite parle...

Le chef des pirates hurle un ordre à ses hommes. Ceux-ci s'empressent aussitôt de détacher l'oiseau. Le prisonnier, trop longtemps ficelé, secoue une de ses grandes pattes, puis l'autre. Il ébouriffe ses plumes psychédéliques.

— T'as fini ton cinéma ? lui crie le capitaine borgne.

Il se fait menaçant. Il place un des deux tranchants de sa hache sur la gorge du Grand Quabouki.

—Alors? Tu nous lis l'avenir oui ou zoin!

—Zoin? répète l'oiseau dont les yeux s'agrandissent.

—Ça veut dire «oui ou non?», imbécile.

—Ah bon! fait l'oiseau. Alors, je réponds OUI.

—C'est bien, gronde le pirate. Concentre-toi!

L'oiseau s'exécute. Il ferme les yeux et semble beaucoup réfléchir. Il tapote longuement le dessus de son bec avec le bout de son aile rayée.

—Concentre-toi au-dessus de la marmite, abruti! lui ordonne le capitaine.

Sa mauvaise humeur grandit à vue d'oeil. Sans ménagement, il pousse l'oiseau récalcitrant avec le manche de son arme. Le Quabouki, qui a rouvert les yeux, le regarde avec étonnement.

—C'est ce que j'allais faire, lui dit l'oiseau.

Pendant tout ce temps, Archibald demeure ficelé serré au grand mât. Tremblant de peur, il se demande :

« Comment tout cela va-t-il se terminer ? »

De plus en plus abattu, il contemple une scène étrange. Le Grand Quabouki se tient debout près de la grande marmite de fer. Il ferme à nouveau les yeux, puis il étend ses grandes ailes au-dessus de l'eau bouillante. Il émet ensuite un curieux son. Une espèce de grondement qui ressemble à peu près à ceci :

—Raum! Raum! Raum!

—Active un peu la vapeur! lui ordonne le chef des pirates. On n'a pas toute l'éternité.

—C'est exactement ce que je fais, rétorque l'oiseau un peu vexé. C'est exactement ce que je fais.

On dirait plutôt un Grand Prêtre présidant un office qu'un Grand Quabouki. Très théâtral, il arrache une petite plume mouchetée à sa queue :

—Aïe!

Il la laisse tomber dans la marmite remplie d'eau bouillante. Aussitôt, un immense brouillard bleu envahit le pont du navire pirate.

—Qu'est-ce... Qu'est-ce que c'est que ce sortilège ? grognent les pirates.

Leurs voix tremblent d'émotion. Ils commencent à avoir peur. Le brouillard devient de plus en plus dense et la panique s'empare des hommes. Ils ne voient plus leurs mains ni leurs

compagnons. Des cris fusent de partout. Bientôt, c'est la bousculade généralisée. Les coups et les injures se mettent à pleuvoir. Les pirates se battent entre eux sans plus se soucier de leurs prisonniers. Le Grand Quabouki profite de la confusion qui règne maintenant sur le pont pour délivrer Archibald. En un tournemain, il détache les liens.

— Viens, glisse-t-il à son ami. Sautons à la mer, c'est notre seule chance.

— À la mer! s'écrie le petit cochon. Mais je ne sais pas nager!

— On n'a pas le temps de discuter, lui répond l'oiseau. Le temps presse. Le brouillard va vite s'estomper. Fuyons!

Archibald voudrait protester encore, mais son compagnon ne lui en laisse pas le loisir. Faisant fi des protestations, son ami le Grand Quabouki prend le petit cochon sous son aile immense comme une tente. Ensemble, ils sautent par-dessus bord dans un grand plouf!

Chapitre 11

La dérive

Une fois qu'ils se sont échappés du navire, le Grand Quabouki installe confortablement Archibald au sec sur son dos. Il lui explique:

—Comme tu peux le constater, les quaboukis flottent très bien. En nous laissant dériver, nous atteindrons fatalement l'autre rive.

Un immense frisson secoue le corps d'Archibald. Il n'aime pas le mot «fatalement». Dans fatalement, il y a le mot fatal. Comme dans fata-

lité. Et fatalité, pour Archibald, rime avec calamité.

Le pauvre cochon se plonge dans de noires pensées. Il songe au pire. Pendant ce temps, le courant marin entraîne les deux compagnons loin du navire pirate toujours noyé dans la brume. Bientôt, il ne reste plus autour d'eux que l'immensité de la mer. Au yeux d'Archibald, c'est un peu effrayant. Tout ce bleu, à perte de vue !

Mais il se sent à l'abri, au sec, dans les plumes de l'étrange oiseau. Il se cale un peu plus, finit par se creuser un petit nid douillet au creux du duvet soyeux.

Une question le turlupine, cependant. Après avoir longuement réfléchi, il finit par demander à son ami :

—Dis-moi, Grand Quabouki.

—Oui…

—Tu as de belles grandes ailes. Pourquoi ne pas voler jusqu'à la rive ? Ce serait plus rapide, non ?

—Non, rétorque l'oiseau. Parce que les quaboukis ne savent pas voler.

—Ah bon? s'étonne Archibald.

—Vois-tu, très cher, explique l'oiseau, les quaboukis savent tout faire: courir, sauter, danser, jouer, flotter. Tout. Sauf voler.

—Pourquoi? demande Archibald.

—C'est ainsi. C'est mon père qui me l'a dit. Il l'a appris de son père à lui, qui le tenait de son grand-père et ainsi de suite. C'est une sorte de tradition.

—Ah bon! soupire le petit cochon. Il est un peu déçu.

Il se résigne alors à faire le voyage à la nage. Il se sent flotter comme sur un bouchon.

—Ce n'est pas si désagréable, au fond, conclut Archibald.

Bercé par les vagues et par le vent, il finit par s'endormir paisiblement.

Chapitre 12

Tout est bien...

Le lendemain matin, lorsqu'il se réveille, Archibald aperçoit la terre. Elle est encore très, très loin. Une simple ligne à l'horizon.

—Nous approchons, annonce le Grand Quabouki qui n'a pas dormi.

Archibald s'étire, bâille longuement. Un peu inquiet, il regarde autour de lui. Il n'aime pas les aventures et il sait déjà qu'il n'est pas au bout des siennes. Un frisson lui parcourt l'échine. Il ne sait pas si c'est un frisson de peur ou d'excitation, car il ne fait pas encore bien la différence.

—Qu'allons-nous trouver de l'autre côté ? demande-t-il à l'oiseau qui lui sert de radeau de fortune.

—Tout ou rien, répond ce dernier. En fait, je ne sais pas. Je ne suis jamais allé de l'autre côté.

Le silence retombe sur la mer. Archibald a toujours aimé voir le soleil se lever. C'est un des grands bonheur de sa vie. L'eau sombre de

la mer se colore de rose et d'orange.
Ces couleurs lui rappellent le goût de
ses sorbets préférés. Quelques
regrets au bord du coeur, il soupire.

—Encore un peu de patience, mon
ami, murmure le Quabouki pour l'en-
courager. Nous toucherons terre bientôt.

En entendant ces mots, Archibald
sursaute. Il n'a pas rêvé: l'oiseau l'a
appelé « mon ami ».

—C'est la première fois que
quelqu'un me dit: « mon ami », con-
fesse le petit cochon.

—Il faut toujours une première fois, rétorque l'oiseau au long cou.

—Je suis content d'avoir un ami, avoue Archibald en rosissant.

—Moi aussi, répond l'oiseau. Un ami, c'est quelqu'un avec qui on a envie d'aller au bout du monde.

—Un ami, c'est quelqu'un qui aime les mêmes saveurs de crème glacée, ajoute Archibald.

—Un ami, c'est quelqu'un avec qui on peut se taire et qui nous comprend quand même.

—Un ami, c'est aussi quelqu'un avec qui on peut jouer sans se disputer, renchérit le petit cochon.

—Au fond, résume le Grand Quabouki, un ami, c'est quelqu'un avec qui on est toujours bien. Juste bien.

—Oui. Un ami, c'est un vrai trésor, conclut Archibald. Et toi, Grand Quabouki, tu es le plus beau trésor du monde.

Carmen Marois

Carmen Marois aime la vie. C'est-à-dire qu'elle aime les gens d'ici et aussi ceux qui viennent d'ailleurs. Elle aime les chats et les chiens, la montagne et la mer, les lacs, les rivières et les forêts. Elle aime découvrir des mets exotiques, boire du vin européen, apprendre des langues étrangères et voyager. Le passage des nuages dans le ciel et le scintillement des étoiles au firmament sont ses spectacles favoris.

Ses rêves les plus chers : que la Terre devienne un jour un seul immense pays, dépourvu de drapeaux de frontières et d'armées. Ensuite, qu'elle puisse écrire pour tous les enfants jusqu'à la fin de sa vie.

Anne Villeneuve

Toute petite, Anne Villeneuve était fascinée par le mouvement de l'eau. Elle passait des heures et des heures les pieds dans un ruisseau à essayer d'attraper des poissons avec ses mains.

Plus tard, Anne a quitté bien des bouts de quai pour s'embarquer sur de grands bateaux aux voiles blanches, à la conquête de la mer. Elle n'a jamais peur puisqu'elle connaît les grimaces qui font fuir le plus redoutable des pirates.

MA PETITE VACHE A MAL AUX PATTES

15. *Le sourire volé*, de Gilles Tibo, illustré par Jean Bernèche.
16. *Le démon du mardi*, écrit et illustré par Danielle Simard. Prix Boomerang 2001, 3e position au Palmarès de Communication-Jeunesse 2001.
17. *Le petit maudit*, de Gilles Tibo, illustré par Hélène Desputeaux.
18. *La Rose et le Diable*, de Cécile Gagnon, illustré par Anne Villeneuve.
19. *Les trois bonbons de monsieur Magnani*, de Louis Émond, illustré par Stéphane Poulin.
20. *Moi et l'autre*, de Roger Poupart, illustré par Marie-Claude Favreau.
21. *La clé magique*, de Gilles Tibo, illustré par Jean Bernèche.
22. *Un cochon sous les étoiles*, écrit et illustré par Jean Lacombe.
23. *Le chien de Pavel*, de Cécile Gagnon, illustré par Leanne Franson. Finaliste au Prix du Gouverneur général 2001.
24. *Frissons dans la nuit*, de Carole Montreuil, illustré par Bruno St-Aubin.
25. *Le monstre du mercredi*, écrit et illustré par Danielle Simard, 2e position au Palmarès de Communication-Jeunesse 2002.
26. *La valise de monsieur Bardin*, de Pierre Filion, illustré par Stéphane Poulin.
27. *Zzzut !* de Alain M. Bergeron, illustré par Sampar. Prix Communication-Jeunesse 2002
28. *Le bal des chenilles* suivi de *Une bien mauvaise grippe,* de Robert Soulières, illustré par Marie-Claude Favreau.
29. *La petite fille qui ne souriait plus*, de Gilles Tibo, illustré par Marie-Claude Favreau. Prix Odyssée 2002, Finaliste au Prix M.Christie 2002.